Community Learning & Libraries
Cymuned Ddysgu a Llyfr

This item sh
last da

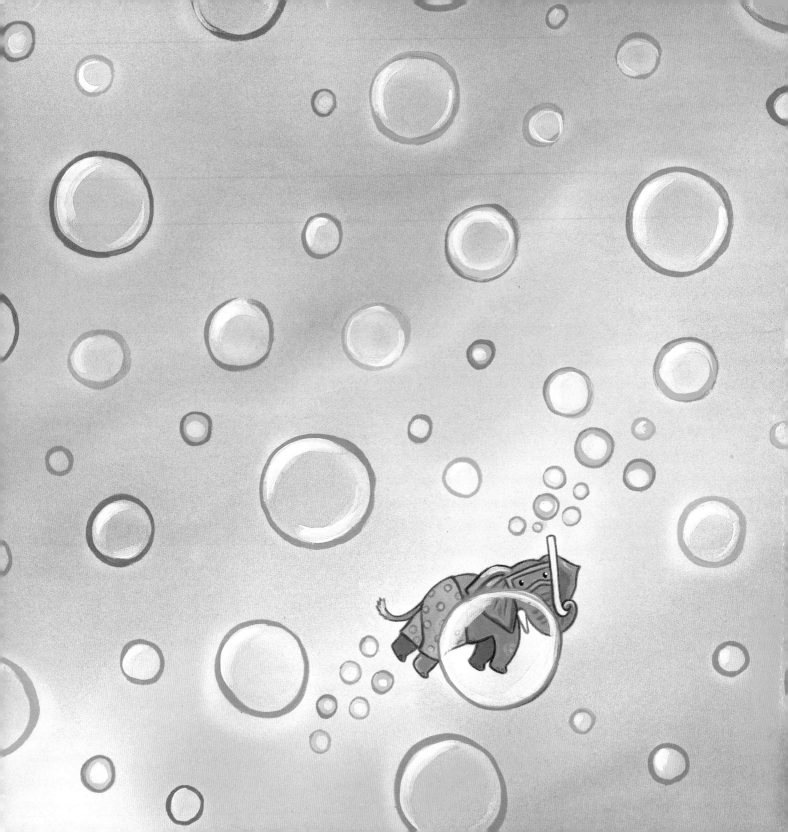

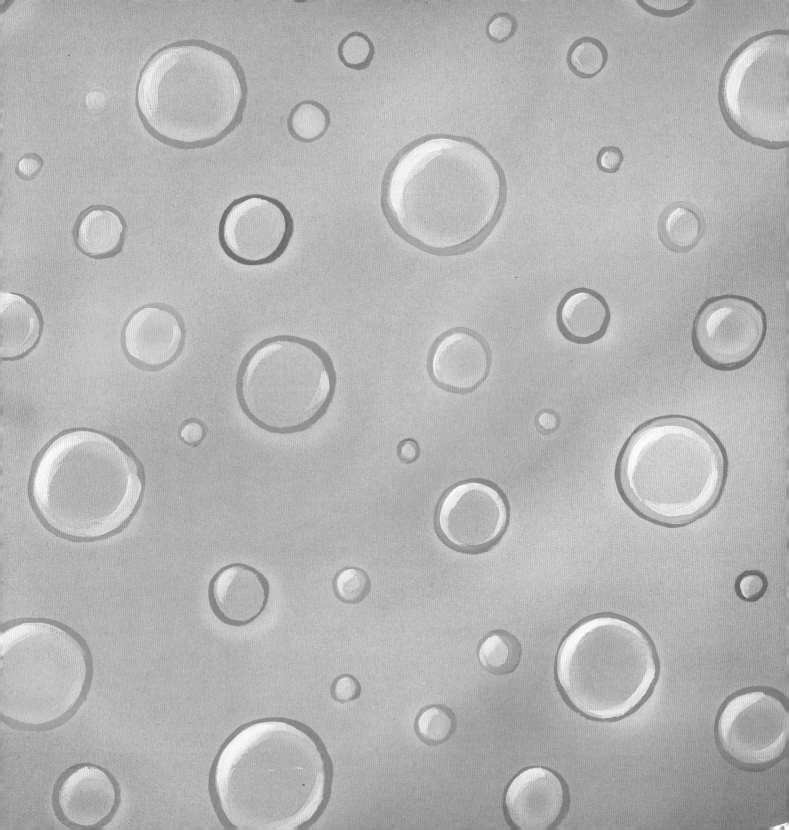

Cyhoeddwyd gyntaf yn 2013 gan Wasg Gomer, Llandysul, Ceredigion, SA44 4JL
www.gomer.co.uk

ISBN 978 1 84851 654 0

Argraffwyd a rhwymwyd yng Nghymru gan Wasg Gomer, Llandysul, Ceredigion SA44 4JL

Lili'r fôr-forwyn

Caryl Parry Jones
Christian Phillips
Lluniau **Ali Lodge**

Gomer

Ydych chi erioed wedi bod ym
Mharc y Bore Bach?
Beth ydych chi'n feddwl, 'Naddo'?
Ond dyna lle mae'r creaduriaid hudol
yn byw. A wyddoch chi beth?
Mae'n hollol WYCH!

Maen nhw i gyd yn byw yna . . .

y dreigiau, yr Ieti, y griffiniaid,

y Seiclops, yr Eliffant Anghofus

(mwy amdano fo nes 'mlaen) a . . .

LILI'R FÔR-FORWYN.

Ydych chi'n gwybod
beth ydi môr-forwyn?
Nac ydych? Wel,
mae môr-forwyn yn
rhywun sy'n hanner merch
ac yn hanner pysgodyn.
Ie, dyna chi, mae ganddi
gynffon hir, sgleiniog,
ddisglair yn hanner isaf
ei chorff ac mae ei hanner
uchaf yn ferch fach
bert gyda gwallt hir
euraid del.

Ac mae'r ddau hanner yn gwneud un fôr-forwyn. Dyna hi – edrychwch! Byth y ffordd arall rownd, cofiwch, pan mae'r hanner uchaf yn bysgodyn a'r hanner isaf yn bâr o goesau gyda sanau ac esgidiau. Achos Wyn-môrfor fysa un o'r rheiny. Ac mae honno'n stori arall!

Mae Lili'r Fôr-forwyn yn byw mewn man arbennig iawn ym Mharc y Bore Bach, sef Lagŵn y Môr-forynion.

Mae adar yn byw mewn nyth,

ceffylau yn byw mewn stabal,

moch yn byw mewn twlc

ac mae môr-forynion yn byw mewn lagŵn.

A dydi Lili ddim yn eithriad.
Mae'r lagŵn ym Mharc y Bore Bach
yn un o'r pethau harddaf welwch chi
yn eich byw. Mae'n wirioneddol
dlysach na thlws.
Mae'r dŵr yn las tywyll, ac mae yna flodau
prydferth amryliw, a phlanhigion a
choed gwyrdd llachar ym mhobman.

Ond nid dyna ddiwedd y stori achos o dan y dŵr, lle mae

Lili'n byw, mae hi hyd yn oed yn FWY hardd na'r peth harddaf

welwch chi yn eich byw – wedi ei luosi hefo deg!

Mae pysgod o bob lliw a llun yn byw yna, a phlanhigion y dŵr

a chwrel a cherrig mân a mwy o swigod na chafodd eu chwythu

erioed yn nofio a byrstio a thyfu a nofio a byrstio . . .

Mae'n lle PERFFAITH.

Mae Lili yn hapus iawn yna.

Mae hi'n hoffi seiclo ar ei chwchfeic,

a siglo ar ei hamoc-ddŵr, a hi ydi pencampwraig

Parc y Bore Bach wrth chwarae . . .

tennis tanddwr . . .

pêl-droed pysgod . . .

pŵl pwll . . .

a chlwydi'r tonnau.

Wrth gwrs, does dim angen hyd yn oed sôn pa mor wych
ydi hi mewn cystadleuaeth 'dal eich gwynt'.
Does 'na neb i'w churo hi.

A phan mae hi uwchben y dŵr,
mae hi'n eistedd ar ei deilen yn sgwrsio
hefo gwas y neidr, yn chwarae pêl
hefo'r llyffantod ac yn swyno
rhianedd y dŵr â'i chân.

Ar ddyddiau braf, mae hi'n gorwedd ar y lan yn siglo'i chynffon yn y lagŵn glas, clir ac yn gwylio'i ffrindiau'n chwarae. Mae hi'n chwerthin wrth eu gweld nhw i gyd yn rhedeg ac yn neidio ac yn sgipio ac yn gweiddi 'Hwrê' wrth sgorio cais neu gôl.

Mae hi wrth ei bodd yn gwylio'i ffrindiau'n cael hwyl.

Ond un diwrnod, daeth Griff y Griffin i lawr i'r lagŵn i weld Lili.
Doedd o ddim yn gallu dod o hyd iddi i ddechrau ond yna
mi glywodd sŵn crio tawel yn dod o'r tu ôl i'r rhaeadr fach.
Lili oedd yno.

'O! Lili fach annwyl, beth ar y ddaear sy'n bod?' holodd Griff yn dyner.

'Dim byd a dweud y gwir, Griff,' atebodd Lili. 'Hynny yw, dwi'n byw yn y lagŵn prydferthaf allai unrhyw un ei ddychmygu . . .

'Ond, ar ddyddiau heulog fel heddiw, dwi'n gallu'ch gweld chi gyd yn chwarae'n braf ac fe fyddwn wrth fy modd yn gallu ymuno 'da chi.'

'Wel, dere draw 'te!' meddai Griff gan gynnig ei adain iddi.

'Ond alla i ddim!' llefodd Lili. 'Mae 'nghynffon i'n berffaith ar gyfer nofio a sblasio a phlymio ond yn dda i ddim i redeg a neidio a sgipio.'

'Wel os felly, fe ddown NI atat TI,' meddai Griff.

'Beth? Wyt ti'n siŵr? Does dim llawer i'w wneud 'ma.'

'Paid â siarad dwli!' meddai Griff gan chwerthin. 'Edrych o dy gwmpas di . . . edrych ar y lagŵn gwych 'ma gyda'i raeadrau, pyllau bach, llithrenni a siglenni. Gewn ni rasus dail lili, gallwn ni badlo, gallwn ni nofio, gallwn ni blymio a gallwn ni sblasio fel pethau dwl!'

'Edrych, mae hyd yn oed traeth bach yma. Alla i ddim meddwl am unman gwell ar ddiwrnod twym o haf. A ta beth, wyt ti WIR yn meddwl y bydden ni'n dy adael di ar dy ben dy hunan?'

'Ha! Ti'n iawn sbo!' meddai Lili â gwên fach yn dechrau goleuo'i hwyneb del. 'Mae digon i'w wneud 'ma ond ti'n gwybod, ambell waith, pan wyt ti'n byw yn rhywle am amser hir, dwyt ti ddim yn gweld y rhyfeddodau sydd o dan dy drwyn di.'

Felly fe hedfanodd Griff o amgylch Parc y Bore Bach yn dweud wrth bawb mai heddiw oedd diwrnod Parti Pwll Lili'r Fôr-forwyn. Roedd yna gyffro mawr a daeth Clip ap Clop, Gwyn Traed Mawr, Bin Bwn a Ben, Griff a'r lleill i gyd yn eu gwisgoedd nofio. Daeth hyd yn oed yr Eliffant Anghofus (ar ôl i Griff ei atgoffa).

Ac fe gawson nhw'r
diwrnod gorau erioed . . .

a Lili hefyd – bu'n chwarae
a chwarae drwy'r dydd . . .

nes yr oedd hi'n amser iddi swatio
yn ei gwely cragen wystrys.
Wrth i'r haul fachlud ar Barc y Bore Bach
breuddwydiodd am y diwrnod mwyaf
heulog, hwyliog, sblishsblashiog a dreuliodd
hi gyda'r ffrindiau gorau yn y byd i gyd.

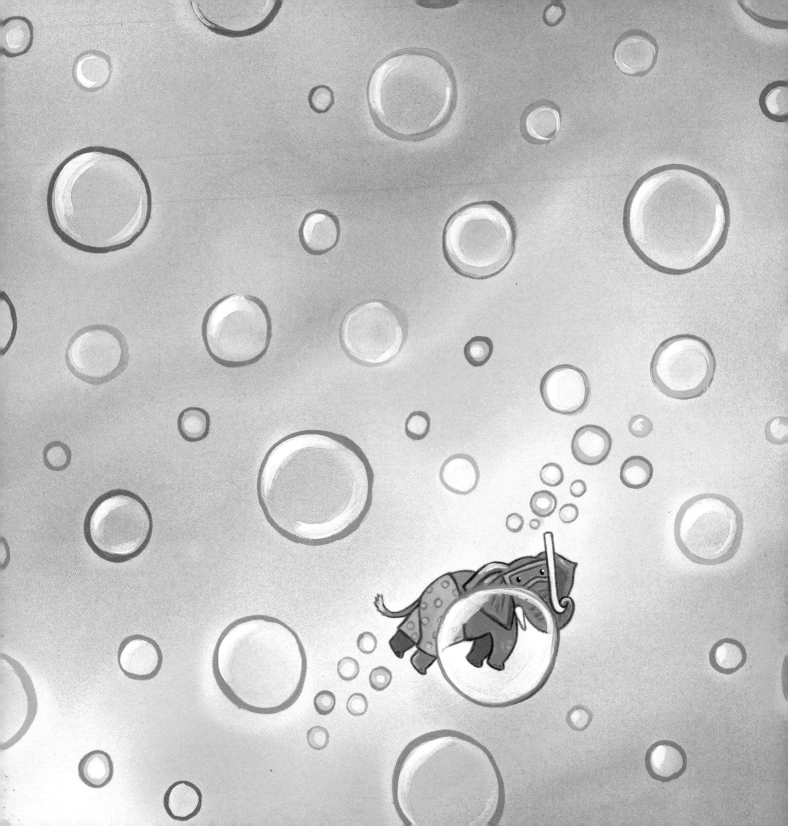

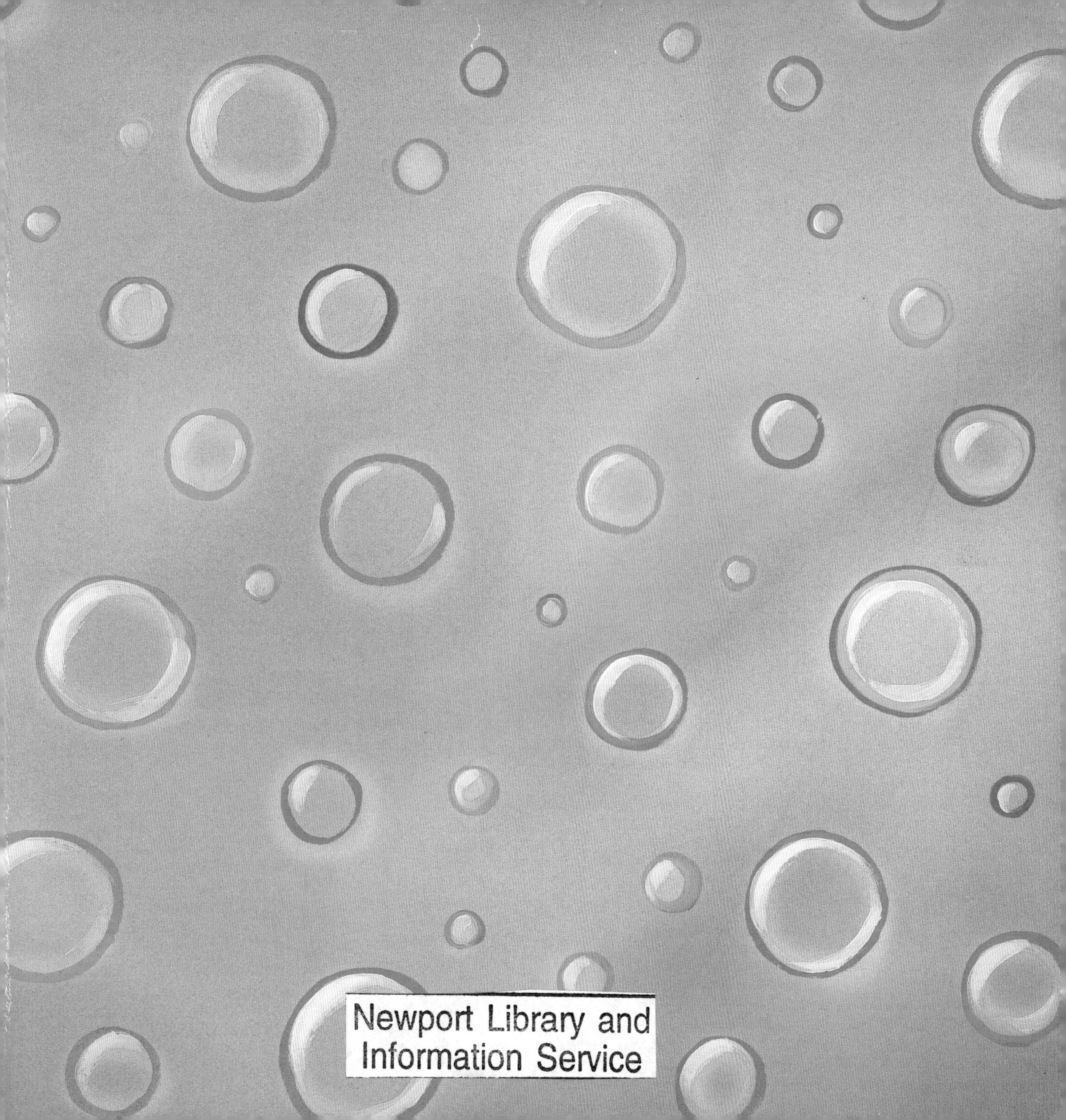